왕초보를 위한
중국어 연상
Voca

다락원

다치다	受伤	[shòu shāng | 쇼우 샹]
병원	医院	[yīyuàn | 이위엔]
접수하다	挂号	[guà hào | 꽈 하오]
의사	医生	[yīshēng | 이셩]
진찰하다	看病	[kàn bìng | 칸 삥]

환자	病人	[bìngrén | 삥런]
수술하다	手术	[shǒushù | 쇼우슈]
간호사	护士	[hùshi | 후스]
주사를 맞다	打针	[dǎ zhēn | 다 쩐]
약을 먹다	吃药	[chī yào | 츠 야오]

축구를 하다 다쳐서 (受伤) 병원 (医院)에 갔다. 먼저 접수를 하고 (挂号) 기다리다 의사 선생님 (医生)께 진찰을 받았다 (看病). 의사 선생님께서 "환자 (病人)는 다친 게 심하지 않으니 수술을 할 (手术) 필요는 없어~"라고 말씀하셨다. 예쁜 간호사 (护士) 누나가 놓아 주는 주사를 맞았다 (打针). 간호사 누나가 매일 빼놓지 않고 약을 먹으면 (吃药) 금방 나을 거라고 했다.

* 단어의 병음과 의미를 알맞게 이어 보세요.

(1) 医院	guà hào	약을 먹다
(2) 看病	yīyuàn	병원
(3) 挂号	chī yào	접수하다
(4) 吃药	kàn bìng	다치다
(5) 受伤	shòu shāng	진찰하다

* 한어병음에는 알맞은 중국어를, 중국어에는 알맞은 한어병음을 써 넣으세요.

(1) 医生　　　　(　　　　　　　)

(2) hùshi　　　(　　　　　　　)

(3) 打针　　　　(　　　　　　　)

(4) bìngrén　　(　　　　　　　)

중국어	汉语	[Hànyǔ | 한위]
수업하다	上课	[shàng kè | 샹 커]
선생님	老师	[lǎoshī | 라오스]
가르치다	教	[jiāo | 찌아오]
어렵다	难	[nán | 난]
학우	同学	[tóngxué | 통쉬에]

쉽다	容易	[róngyì | 롱이]
재미있다	有意思	[yǒuyìsi | 여우이쓰]
공부하다	学习	[xuéxí | 쉬에시]
수업을 마치다	下课	[xià kè | 샤 커]
교실	教室	[jiàoshì | 쨔오스]

오늘은 중국어(汉语) 수업이 있는 날~ 수업이 시작(上课)되면 선생님(老师)께서는 중국어를 가르치신다(教). 아~ 중국어는 나한테 너무 어렵다(难). 우리반에서 1등 하는 반친구(同学)는 항상 내게 말한다. "중국어처럼 쉽고(容易) 재미있는(有意思) 과목이 어딨어? 난 중국어 공부하는(学习) 게 너무 좋아." '짜식! 내가 너냐?' 난 수업 마치기(下课)만 기다린다. 어서 이 교실(教室)에서 벗어나고파!!

※ 단어의 병음과 의미를 알맞게 이어 보세요.

(1) 教室   Hànyǔ   쉽다

(2) 同学   jiàoshì   교실

(3) 汉语   yǒuyìsi   중국어

(4) 容易   tóngxué   재미있다

(5) 有意思   róngyì   반친구

※ 한어병음에는 알맞은 중국어를, 중국어에는 알맞은 한어병음을 써 넣으세요.

(1) lǎoshī   (   )

(2) 教   (   )

(3) shàng kè   (   )

(4) 难   (   )

도서관	图书馆	[túshūguǎn | 투슈관]
열람실	阅览室	[yuèlǎnshì | 위에란스]
매점	小卖部	[xiǎomàibù | 샤오마이뿌]
한담하다	聊天儿	[liáotiānr | 랴오티알]
쉬다	休息	[xiūxi | 씨우시]

책	书	[shū | 슈]
좋아하다	喜欢	[xǐhuan | 시환]
빌리다	借	[jiè | 찌에]
반환하다	还	[huán | 환]
벌금을 내다	罚款	[fá kuǎn | 파 콴]

도서관(图书馆)은 나에게 있어 제2의 집이다.

하하~ ㅋㅋ 나는 대부분의 시간을 도서관에서 보낸다. 열람실(阅览室)에서 공부를 하다가 가끔 매점(小卖部)에서 친구들과 간식을 먹으면서 한담을 나누고(聊天儿) 쉬기도 한다(休息). 책(书)을 무지 좋아하는(喜欢) 나는 책도 자주 빌려(借) 읽는데, 종종 늦게 반환해(还) 벌금을 물기도(罚款) 한다.

- 단어의 병음과 의미를 알맞게 이어 보세요.

(1) 休息	huán	반환하다
(2) 聊天儿	xǐhuan	좋아하다
(3) 图书馆	túshūguǎn	쉬다
(4) 喜欢	liáotiānr	도서관
(5) 还	xiūxi	한담하다

- 한어병음에는 알맞은 중국어를, 중국어에는 알맞은 한어병음을 써 넣으세요.

(1) fá kuǎn　　　(　　　　　　　)

(2) 借　　　　　（　　　　　　　）

(3) xiǎomàibù　　（　　　　　　　）

(4) 书　　　　　（　　　　　　　）

텔레비전	电视	[diànshì | 띠엔스]
보다	看	[kàn | 칸]
뉴스	新闻	[xīnwén | 씬원]
드라마	电视剧	[diànshìjù | 띠엔스쥐]
가수	歌手	[gēshǒu | 꺼쇼우]

음악프로그램	音乐节目
	[yīnyuè jiémù | 인위에 제무]

방송하다	广播 [guǎngbō | 광쁘]

나두다	吵架 [chǎo jià | 차오 쨔]

결국	结果 [jiéguǒ | 지에궈]

이기다	赢 [yíng | 잉]

우리집 식구들은 텔레비전(电视) 보는(看) 것을 무지 좋아한다. 아빠는 뉴스(新闻)를 즐겨 보시고, 엄마는 드라마(电视剧)를 줄줄 꿰고 계신다. 그리고 나는 가수(歌手)들이 나오는 음악 프로그램(音乐节目)을 빼놓지 않고 본다. 이 세 가지 프로그램이 동시에 다른 채널에서 방송되면(广播) 서로 자기가 보고 싶은 프로그램을 보려고 다툰다(吵架). 결국(结果) 엄마가 이긴다(赢). 왜냐고? 우리집에서 가장 힘센 사람은 바로 엄마니까…

※ 단어의 병음과 의미를 알맞게 이어 보세요.

(1)	电视剧	kàn		드라마
(2)	结果	yīnyuè jiémù		음악프로그램
(3)	广播	guǎngbō		보다
(4)	看	jiéguǒ		결국
(5)	音乐节目	diànshìjù		방송하다

※ 한어병음에는 알맞은 중국어를, 중국어에는 알맞은 한어병음을 써 넣으세요.

(1) xīnwén (　　　　　　　)

(2) 歌手 (　　　　　　　)

(3) 赢 (　　　　　　　)

(4) chǎo jià (　　　　　　　)

상점	商店	[shāngdiàn	샹띠엔]
돌아다니다	逛	[guàng	꽝]
옷	衣服	[yīfu	이푸]
입다, 신다	穿	[chuān	촨]
신발	鞋	[xié	시에]

점원	**售货员** [shòuhuòyuán | 쇼우훠위엔]
어울리다	**合适** [héshì | 허스]
사다	**买** [mǎi | 미이]
비싸다	**贵** [guì | 꾸이]
흥정하다	**讨价还价** [táojià huánjià | 타오쨔 환쨔]

나는 상점(商店)을 돌아다니며(逛) 아이쇼핑(逛商店)하는 것을 좋아한다. 옷(衣服)도 입어(穿) 보고 신발(鞋)도 신어(穿) 보고… 그러다 충동구매를 하기도 한다. 충동구매는 보통 점원(售货员)들에 의해 조장된다. 그들은 "너무 잘 어울리세요(合适)~"란 뻔한 거짓말을 한다. 하지만 사는 사람들은 그것이 거짓말인 줄 알면서도 산다(买). 물건이 비싸다고(贵) 느껴질 때 흥정하는(讨价还价) 재미 또한 쏠쏠하다!

🔹 단어의 병음과 의미를 알맞게 이어 보세요.

(1) 逛　　　héshì　　　입다

(2) 买　　　guì　　　비싸다

(3) 穿　　　chuān　　　어울리다

(4) 合适　　　guàng　　　사다

(5) 贵　　　mǎi　　　돌아다니다

🔹 한어병음에는 알맞은 중국어를, 중국어에는 알맞은 한어병음을 써 넣으세요.

(1) yīfu　　　(　　　　　　　)

(2) 鞋　　　(　　　　　　　)

(3) shòuhuòyuán　　　(　　　　　　　)

(4) 讨价还价　　　(　　　　　　　)

친구	朋友	[péngyou | 펑여우]
한턱 내다	请客	[qǐng kè | 칭 커]
식당	餐厅	[cāntīng | 찬팅]
종업원	服务员	[fúwùyuán | 푸우위엔]
주문하다	点	[diǎn | 디엔]
메뉴판	菜单	[càidān | 차이딴]

싸다	**便宜**	[piányi ǀ 피엔이]
요리	**菜**	[cài ǀ 차이]
가장 잘하는 음식	**拿手菜**	[náshǒucài ǀ 나쇼우차이]
맛있다	**好吃**	[hǎochī ǀ 하오츠]
더치페이	**AA 制**	[AAzhì ǀ AA 쯔]

23

평소 돈 한푼 잘 안 쓰던 친구(朋友)가 갑자기 한 턱 쏜다(请客)며 식당(餐厅)엘 가자는 게 아닌가! 식당에 들어가니 종업원(服务员)이 주문(点)하라면서 메뉴판(菜单)을 들고 왔다. 메뉴판을 펴든 친구, 한참을 보더니 가장 싼(便宜) 요리(菜)를 시키는 것이다. 난 굴하지 않고 "이 집에서 가장 맛있게(好吃) 잘하는 음식(拿手菜)으로 주세요~"라고 했다. 음식을 다 먹고 나갈 때 친구 녀석이 한 마디 한다. "야, 더치페이(AA制)다!"

※ 단어의 병음과 의미를 알맞게 이어 보세요.

(1) 朋友	càidān	더치페이
(2) 拿手菜	diǎn	메뉴판
(3) AA 制	péngyou	주문하다
(4) 点	náshǒucài	친구
(5) 菜单	AAzhì	가장 잘하는 음식

※ 한어병음에는 알맞은 중국어를, 중국어에는 알맞은 한어병음을 써 넣으세요.

(1) piányi   (　　　　　　　)

(2) 请客   (　　　　　　　)

(3) cāntīng   (　　　　　　　)

(4) 好吃   (　　　　　　　)

~하고 싶다	想	[xiǎng | 샹]
술을 마시다	喝酒	[hē jiǔ | 허 지우]
술집	酒吧	[jiǔbā | 지우빠]
담배를 피우다	抽烟	[chōu yān | 초우 옌]
맥주	啤酒	[píjiǔ | 피지우]

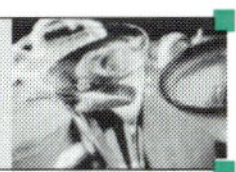

병 (병류를 세는 양사)	瓶	[píng | 핑]
취하다	喝醉	[hēzuì | 허쭈이]
어지럽다	头晕	[tóuyūn | 투우윈]
택시를 타다	打的	[dǎdi | 다띠]
집으로 돌아가다	回家	[huí jiā | 후이 쟈]

그녀와 헤어졌다. 술을 마시고 싶어(想喝酒) 친구 녀석을 불렀다. 우리는 술집(酒吧)에 가서 담배를 피우며(抽烟) 맥주를 마셔댔다(喝啤酒). 몇 병(瓶)이나 마셨을까? 그녀를 잊기 위해 계속해서 마셨더니 술에 취해(喝醉) 어지러웠다(头晕). 친구 녀석과 나는 택시를 타고(打的) 집으로 돌아왔다(回家). 짠돌이 녀석! 그 와중에도 내 지갑을 꺼내 택시비를 내다니 >.<

■ 단어의 병음과 의미를 알맞게 이어 보세요.

(1) 回家　　　jiǔbā　　　맥주

(2) 喝醉　　　píjiǔ　　　취하다

(3) 打的　　　hēzuì　　　택시를 타다

(4) 酒吧　　　huí jiā　　　집으로 돌아가다

(5) 啤酒　　　dǎdi　　　술집

■ 한어병음에는 알맞은 중국어를, 중국어에는 알맞은 한어병음을 써 넣으세요.

(1) chōu yān　　　(　　　　　　)

(2) 想　　　(　　　　　　)

(3) tóuyūn　　　(　　　　　　)

(4) 喝酒　　　(　　　　　　)

점심식사	午饭	[wǔfàn	우판]
빠르다	快	[kuài	콰이]
햄버거	汉堡包	[hànbǎobāo	한바오빠오]
콜라	可乐	[kělè	커러]
먹다	吃	[chī	츠]

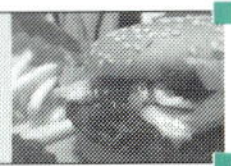

몸	身体	[shēntǐ | 션티]
좋다	好	[hǎo | 하오]
피자	比萨饼	[bǐsàbǐng | 비싸빙]
아주	很	[hěn | 헌]
매일	每天	[měitiān | 메이티엔]

오늘은 정말 눈코 뜰 새 없이 바빠서 점심(午饭) 먹을 시간도 없었다. 그래서 빨리(快) 나오는 햄버거(汉堡包)와 콜라(可乐)를 먹으러(吃) 갔다. 엄마는 햄버거가 몸(身体)에 좋지(好) 않다고 못 먹게 하시지만 나는 햄버거나 피자(比萨饼) 같은 음식을 아주(很) 좋아한다. 매일매일(每天) 먹었으면 좋겠다~~

※ 단어의 병음과 의미를 알맞게 이어 보세요.

(1) 汉堡包   kuài   피자

(2) 可乐   chī   먹다

(3) 吃   bǐsàbǐng   햄버거

(4) 快   hànbǎobāo   빠르다

(5) 比萨饼   kělè   콜라

※ 한어병음에는 알맞은 중국어를, 중국어에는 알맞은 한어병음을 써 넣으세요.

(1) měitiān   (   )

(2) 午饭   (   )

(3) 很   (   )

(4) shēntǐ   (   )

덥다	热	[rè | 러]
여름	夏天	[xiàtiān | 샤티엔]
산	山	[shān | 샨]
가다	去	[qù | 취]
바다	海	[hǎi | 하이]

| 수영하다 | 游泳 | [yóuyǒng \| 여우용] |

| 날씨 | 天气 | [tiānqì \| 티엔치] |

| 비가 내리다 | 下雨 | [xià yǔ \| 싸 위] |

| 놀다 | 玩儿 | [wánr \| 왈] |

| 여행하다 | 旅游 | [lǚyóu \| 뤼여우] |

태양이 내리쬐는 더운(热) 여름(夏天)이 오면

사람들은 더위를 피해 산(山)으로 갈까(去) 바다

(海)로 갈까 고민한다.

나는 바다를 좋아한다. 바다에서는 수영(游泳)을

할 수 있기 때문이다. 이번 휴가 때는 제발 날씨(天

气)가 좋았으면 좋겠다. 작년에는 비가 와서(下

雨) 재미있게 놀지도(玩儿) 못했다. 올해는 중국

으로 여행(旅游)을 가 볼까??

▨ 단어의 병음과 의미를 알맞게 이어 보세요.

(1) 下雨	xià yǔ	비가 내리다
(2) 玩儿	rè	덥다
(3) 热	shān	산
(4) 海	wánr	바다
(5) 山	hǎi	놀다

▨ 한어병음에는 알맞은 중국어를, 중국어에는 알맞은 한어병음을 써 넣으세요.

(1) yóuyǒng (   )

(2) 夏天 (   )

(3) lǚyóu (   )

(4) 天气 (   )

함께	一起	[yìqǐ	이치]
공원	公园	[gōngyuán	꽁위엔]
입장권	门票	[ménpiào	먼퍄오]
크다	大	[dà	따]
넓다	宽	[kuān	콴]

가지 (발음이 '치즈'와 비슷해 사진 찍을 때 종종 씀)

茄子　[qiézi | 치에즈]

사진을 찍다

照相　[zhào xiàng | 짜오 샹]

관광하다

游览　[yóulǎn | 여우란]

외국인

外国人
[wàiguórén | 와이궈런]

많다

多　[duō | 뚜어]

친구들과 함께(一起) 베이징에서 가장 유명한 공원(公园)인 이화원에 가 보기로 했다. 입장권(门票)을 사서 들어가니 정말 크고(大) 넓었다(宽). 친구들과 나는 "치즈(茄子)~~"하며 사진도 찍고(照相), 이곳저곳을 관광했다(游览).

이곳에는 외국인(外国人)들이 정말 많다(多).

과연 베이징 최고의 역사 공원답다.

※ 단어의 병음과 의미를 알맞게 이어 보세요.

(1) 大　　　　ménpiào　　　　사진을 찍다

(2) 照相　　　wàiguórén　　　입장권

(3) 宽　　　　dà　　　　　　　넓다

(4) 门票　　　kuān　　　　　　외국인

(5) 外国人　　zhào xiàng　　　크다

※ 한어병음에는 알맞은 중국어를, 중국어에는 알맞은 한어병음을 써 넣으세요.

(1) gōngyuán　　　(　　　　　)

(2) 一起　　　　　(　　　　　)

(3) yóulǎn　　　　(　　　　　)

(4) 茄子　　　　　(　　　　　)

시계	手表	[shǒubiǎo	쇼우뱌오]
(전화를) 걸다	打	[dǎ	다]
전화	电话	[diànhuà	띠엔화]
휴대전화	手机	[shǒujī	쇼우찌]
누르다	按	[àn	안]

공중전화	公用电话 [gōngyòng diànhuà | 꽁용 띠엔화]
돈	钱　[qián | 치엔]
없다	没有　[méiyǒu | 메이어우]
(전화를) 받다	接　[jiē | 찌에]
화를 내다	生气　[shēng qì | 성 치]

친구들과 늦게까지 놀다가 시계(手表)를 보니 아뿔싸! 11시였다. 집에 전화를 걸려고(打电话) 재빨리 휴대전화(手机)를 들어 버튼을 누르는데(按) 갑자기 "삐리릭~~"하고 배터리가 나가는 것이 아닌가! 공중전화(公用电话)를 찾아 전화를 걸려고 보니… 엥? 주머니에 돈(钱)이 없네(没有)! 지나가는 사람에게 겨우 빌려 전화를 했더니 아빠가 받아서는(接) 버럭 화를 내셨다(生气)! "당장 들어와!"

※ 단어의 병음과 의미를 알맞게 이어 보세요.

(1) 没有　　　　shǒubiǎo　　　　　　(전화를) 걸다

(2) 电话　　　　dǎ　　　　　　　　　없다

(3) 公用电话　　méiyǒu　　　　　　　시계

(4) 手表　　　　diànhuà　　　　　　　공중전화

(5) 打　　　　　gōngyòng diànhuà　　전화

※ 한어병음에는 알맞은 중국어를, 중국어에는 알맞은
한어병음을 써 넣으세요.

(1) shǒujī　　　　　(　　　　　　　　)

(2) 按　　　　　　 (　　　　　　　　)

(3) shēng qì　　　 (　　　　　　　　)

(4) 接　　　　　　 (　　　　　　　　)

일본	日本	[Rìběn | 르번]
가깝다	近	[jìn | 찐]
은행	银行	[yínháng | 인항]
환전하다	换钱	[huàn qián | 환 치엔]
창구	窗口	[chuāngkǒu | 촹커우]

직원	职员	[zhíyuán | 즈위엔]
원화	韩币	[hánbì | 한삐]
엔화	日元	[rìyuán | 르위엔]
얼마	多少	[duōshao | 뚜어샤오]
신나다	高兴	[gāoxìng | 까오씽]

주말에 일본(日本)으로 여행을 가려고 가까운(近) 은행(银行)에 환전을 하러(换钱) 갔다.

창구(窗口)에 있는 직원(职员)에게 "원화(韩币)를 엔화(日元)로 환전하려고 합니다" 라고 하니, 그는 "얼마나(多少) 바꾸시겠습니까?" 라고 물었다. 나는 20만원을 환전할 거라고 대답했고, 엔화를 받아드니 마치 벌써 일본에 와 있는 듯 신났다(高兴).

▩ 단어의 병음과 의미를 알맞게 이어 보세요.

(1) 职员　　　yínháng　　　신나다

(2) 高兴　　　zhíyuán　　　은행

(3) 日元　　　gāoxìng　　　원화

(4) 韩币　　　hánbì　　　직원

(5) 银行　　　rìyuán　　　엔화

▩ 한어병음에는 알맞은 중국어를, 중국어에는 알맞은
한어병음을 써 넣으세요.

(1) 近　　　(　　　　　　)

(2) duōshao　　　(　　　　　　)

(3) 换钱　　　(　　　　　　)

(4) chuāngkǒu　　　(　　　　　　)

중국   中国   [Zhōngguó | 쭝궈]

편지를 쓰다   写信   [xiě xìn | 시에 씬]

이번달   这个月   [zhè ge yuè | 쩌 거 위에]

졸업하다   毕业   [bì yè | 삐 예]

만년필   钢笔   [gāngbǐ | 깡비]

권(도서를 세는 양사)   本   [běn | 번]

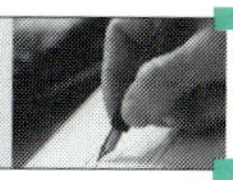

우체국	邮局	[yóujú | 여우쮜]
소포	包裹	[bāoguǒ | 빠오궈]
보내다	寄	[jì | 찌]
언제	什么时候	[shénme shíhou | 션머 스허우]
받다	收	[shōu | 쇼우]

51

나는 오늘 중국(中国)에서 친하게 지내던 친구에게 오랜만에 편지를 썼다(写信).

이번달(这个月)에 졸업하는(毕业) 그 애를 위해 준비한 만년필(钢笔)과 책 한 권(本)을 우체국(邮局)에 가서 편지와 함께 소포(包裹)로 부쳤다(寄).

그 애는 언제(什么时候)쯤이면 내가 보낸 편지와 소포를 받을(收) 수 있을까?

※ 단어의 병음과 의미를 알맞게 이어 보세요.

(1) 写信　　　shōu　　　　　　　　중국

(2) 中国　　　xiě xìn　　　　　　　언제

(3) 什么时候　jì　　　　　　　　　편지를 쓰다

(4) 寄　　　　Zhōngguó　　　　　보내다

(5) 收　　　　shénme shíhou　　　받다

※ 한어병음에는 알맞은 중국어를, 중국어에는 알맞은 한어병음을 써 넣으세요.

(1) bāoguǒ　　　(　　　　　　　)

(2) 钢笔　　　　(　　　　　　　)

(3) bì yè　　　　(　　　　　　　)

(4) 邮局　　　　(　　　　　　　)

여자친구	女朋友 [nǚpéngyou | 뉘펑여우]
눈	眼睛　[yǎnjing | 옌징]
예쁘다	漂亮　[piàoliang | 퍄오량]
머리카락	头发　[tóufa | 터우파]
길다	长　[cháng | 창]

키	个子	[gèzi | 꺼즈]
크다, 높다	高	[gāo | 까오]
손	手	[shǒu | 쇼우]
하얗다	白	[bái | 바이]
엄마	妈妈	[māma | 마마]

제 여자친구(女朋友)를 소개합니다~!!

그녀는 눈(眼睛)이 아주 크고 예뻐요(漂亮)

머리카락(头发)이 길고(长), 키(个子)도 늘

신하게 크답니다(高).

제가 제일 좋아하는 부분은 바로 그녀의 손(手)입

니다. 그녀의 손은 아주 하얀데(白), 꼭 우리 엄마

(妈妈) 같거든요 *^^*

※ 단어의 병음과 의미를 알맞게 이어 보세요.

(1) 妈妈   gèzi   예쁘다

(2) 长   māma   엄마

(3) 漂亮   piàoliang   크다, 높다

(4) 高   cháng   길다

(5) 个子   gāo   키

※ 한어병음에는 알맞은 중국어를, 중국어에는 알맞은 한어병음을 써 넣으세요.

(1) tóufa   (   )

(2) 眼睛   (   )

(3) shǒu   (   )

(4) 白   (   )

커피숍	咖啡厅	[kāfēitīng | 카페이팅]
만나다	见	[jiàn | 찌엔]
커피	咖啡	[kāfēi | 카페이]
기다리다	等	[děng | 덩]
손님	客人	[kèrén | 커런]

시끄럽다	热闹	[rènao | 러나오]
홍차	红茶	[hóngchá | 홍차]
죄송하다	对不起	[duìbuqǐ | 뚜이부치]
다시	再	[zài | 짜이]
오다	来	[lái | 라이]

커피숍(咖啡厅)에서 친구와 만나기로(见) 했다. 커피(咖啡)를 주문하고 친구를 기다렸다(等). 커피숍 안에는 손님(客人)이 아주 많고 시끄러웠다(热闹). 잠시 후 종업원이 홍차(红茶)를 가져왔다. 나는 "커피 시켰는데요." 라고 했더니 종업원은 죄송하다면서(对不起) 다시(再) 가져오겠다고 했다. 창밖으로 친구가 오는(来) 것이 보인다. 저녁 먹날 늦는다.

▪ 단어의 병음과 의미를 알맞게 이어 보세요.

   (1) 见   hóngchá   커피

   (2) 咖啡   zài   다시

   (3) 等   jiàn   기다리다

   (4) 红茶   děng   홍차

   (5) 再   kāfēi   만나다

▪ 한어병음에는 알맞은 중국어를, 중국어에는 알맞은 한어병음을 써 넣으세요.

   (1) kèrén   (   )

   (2) 来   (   )

   (3) rènao   (   )

   (4) 对不起   (   )

저녁식사	晚饭	[wǎnfàn | 완판]
샤워하다	洗澡	[xǐ zǎo | 시 자오]
인터넷을 하다	上网	[shàng wǎng | 샹 왕]
침대	床	[chuáng | 촹]
눕다	躺	[tǎng | 탕]

소설	小说	[xiǎoshuō | 샤오슈어]
~와	跟	[gēn | 껀]
등	灯	[dēng | 떵]
끄다	关	[guān | 꽌]
자다	睡觉	[shuì jiào | 슈이 쨔오]

나의 저녁 일과는 다음과 같다.

집에 와서 우선 저녁식사(晚饭)를 하고 샤워(洗澡)를 한다. 샤워 후에는 컴퓨터 앞에 앉아서 인터넷을 좀 하다가(上网) 침대(床)에 누워(躺) 소설(小说)을 읽는다. 혹은 친한 친구와(跟) 전화로 수다를 떨기도 한다. 그러다 잠이 오면 불(灯)을 끄고(关) 잠을 잔다(睡觉).

✳ 단어의 병음과 의미를 알맞게 이어 보세요.

(1) 上网	wǎnfàn	~ 와
(2) 晚饭	chuáng	저녁식사
(3) 床	xǐ zǎo	인터넷을 하다
(4) 洗澡	shàng wǎng	침대
(5) 跟	gēn	샤워하다

✳ 한어병음에는 알맞은 중국어를, 중국어에는 알맞은 한어병음을 써 넣으세요.

(1) tǎng   (   )

(2) 灯   (   )

(3) shuì jiào   (   )

(4) 关   (   )

오늘	今天	[jīntiān	찐티엔]
아침	早上	[zǎoshang	자오샹]
아이	孩子	[háizi	하이즈]
동물원	动物园	[dòngwùyuán	똥우위엔]
아들	儿子	[érzi	얼즈]
사자	狮子	[shīzi	스즈]

딸	女儿	[nǚ'ér | 뉘알]
울다	哭	[kū | 쿠]
판다	熊猫	[xióngmāo | 숑마오]
토끼	兔子	[tùzi | 투즈]
양	羊	[yáng | 양]
강아지	小狗	[xiǎogǒu | 샤오고우]

오늘(今天)은 아침(早上) 일찍 아이(孩子)들을 데리고 동물원(动物园)에 갔다. 아들(儿子)이 제일 좋아하는 사자(狮子) 우리 앞에 갔더니 딸애(女儿)는 무섭다고 운다(哭). 그래서 딸애가 무서워하지 않는 판다(熊猫), 토끼(兔子), 양(羊)을 구경하러 갔다. 아이들은 무척 좋아했다. 돌아오는 길에는 강아지(小狗)를 사달라고 자꾸 떼를 써서 혼났지만...

* 단어의 병음과 의미를 알맞게 이어 보세요.

(1) 女儿　　　shīzi　　　울다

(2) 狮子　　　háizi　　　아이

(3) 孩子　　　nǚ'ér　　　아들

(4) 哭　　　érzi　　　사자

(5) 儿子　　　kū　　　딸

* 한어병음에는 알맞는 중국어를, 중국어에는 알맞은 한어병음을 써 넣으세요.

(1) xióngmāo　　　（　　　　　）

(2) 动物园　　　（　　　　　）

(3) tùzi　　　（　　　　　）

(4) 羊　　　（　　　　　）

한국어	中文	
오후	下午	[xiàwǔ | 샤우]
회사 동료	同事	[tóngshì | 통스]
영화	电影	[diànyǐng | 띠엔잉]
영화관	电影院	[diànyǐngyuàn | 띠엔잉위엔]
영화표	电影票	[diànyǐngpiào | 띠엔잉퍄오]

| 음료수 | 饮料 | [yǐnliào \| 인랴오] |

재미없다 没有意思
[méiyǒuyìsi \| 메이여우이쓰]

그러나 可是 [kěshì \| 커스]

배우 演员 [yǎnyuán \| 옌위엔]

잘생기다 帅 [shuài \| 솨이]

오후(下午)에 회사 동료(同事)와 영화(电影)를 보러 갔다. 함께 영화관(电影院)에 가서 영화표(电影票)를 끊고 음료수(饮料)를 사가지고 상영관으로 들어갔다. 영화를 다 본 후 그 친구에게 어땠냐고 물으니 재미없었다고(没有意思) 한다. 하지만(可是) 남자 배우(演员)가 잘생겨서(帅) 좋았단다.

※ 단어의 병음과 의미를 알맞게 이어 보세요.

(1) 电影院　　　　kěshì　　　　잘생기다

(2) 帅　　　　shuài　　　　배우

(3) 演员　　　　yǎnyuán　　　　회사 동료

(4) 同事　　　　diànyǐngyuàn　　　　그러나

(5) 可是　　　　tóngshì　　　　영화관

※ 한어병음에는 알맞는 중국어를, 중국어에는 알맞은
한어병음을 써 넣으세요.

(1) méiyǒuyìsi　　　　(　　　　　　　)

(2) 电影票　　　　(　　　　　　　)

(3) 下午　　　　(　　　　　　　)

(4) diànyǐng　　　　(　　　　　　　)

내일	明天	[míngtiān | 밍티엔]
일요일	星期天	[xīngqītiān | 씽치티엔]
온가족	全家人	[quánjiārén | 첸쟈런]
교외	郊外	[jiāowài | 쟈오와이]
봄소풍	春游	[chūnyóu | 춘여우]
사진	照片	[zhàopiàn | 짜오피엔]

카메라	照相机	[zhàoxiàngjī | 짜오샹지]
음식	菜	[cài | 차이]
준비하다	准备	[zhǔnbèi | 준뻬이]
바쁘다	忙	[máng | 망]
햇빛	太阳	[tàiyáng | 타이양]
모자	帽子	[màozi | 마오즈]

내일(明天)은 일요일(星期天)이라 온가족(全家人)이 교외(郊外)로 봄소풍(春游)을 가기로 했다.

아빠는 오랜만에 가족끼리 사진(照片)이나 찍자며 카메라(照相机)를 챙기셨고, 엄마는 가서 먹을 음식(菜)을 준비(准备)하느라 바쁘시다(忙). 아! 햇빛(太阳)이 뜨거울 테니 나는 모자(帽子)를 쓰고 가야겠다. 흐흐~ 내일이 어서 왔으면…

※ 단어의 병음과 의미를 알맞게 이어 보세요.

(1) 照相机   máng   바쁘다

(2) 帽子   xīngqītiān   모자

(3) 郊外   jiāowài   일요일

(4) 星期天   zhàoxiàngjī   교외

(5) 忙   màozi   카메라

※ 한어병음에는 알맞는 중국어를, 중국어에는 알맞은 한어병음을 써 넣으세요.

(1) tàiyáng   (   )

(2) 照片   (   )

(3) 准备   (   )

(4) quánjiārén   (   )

모레	后天	[hòutiān｜호우티엔]
할아버지	爷爷	[yéye｜예예]
생일	生日	[shēngrì｜셩르]
우리집	我家	[wǒjiā｜워쟈]
초대하다	邀请	[yāoqǐng｜야오칭]

남동생	弟弟	[dìdi | 띠디]
백화점	百货商店	[bǎihuòshāngdiàn | 바이훠샹띠엔]
선물	礼物	[lǐwù | 리우]
카드	卡片	[kǎpiàn | 카피엔]
건강하다	健康	[jiànkāng | 찌엔캉]

내일 모레(后天)는 우리 할아버지(爷爷) 생신(生日)이다. 친척들을 우리집(我家)으로 초대(邀请)해 생신파티를 열어 드리기로 했다.

나와 남동생(弟弟)은 수업이 끝나자 마자 백화점(百货商店)으로 달려가서 선물(礼物)과 카드(卡片)를 골랐다. 할아버지께서 오~래오래 건강(健康)하셨으면 좋겠다 ∧O∧

* 단어의 병음과 의미를 알맞게 이어 보세요.

(1) 健康　　　　bǎihuòshāngdiàn　　건강하다

(2) 百货商店　　yéye　　　　　　　할아버지

(3) 生日　　　　jiànkāng　　　　　초대하다

(4) 爷爷　　　　shēngrì　　　　　　생일

(5) 邀请　　　　yāoqǐng　　　　　　백화점

* 한어병음에는 알맞는 중국어를, 중국어에는 알맞은 한어병음을 써 넣으세요.

(1) 卡片　　　　（　　　　　　　　）

(2) dìdi　　　　（　　　　　　　　）

(3) 礼物　　　　（　　　　　　　　）

(4) hòutiān　　 （　　　　　　　　）

누나	姐姐	[jiějie | 지에졔]
결혼식	婚礼	[hūnlǐ | 훈리]
미용실	美容院	[měiróngyuàn | 메이롱위엔]
화장하다	化妆	[huàzhuāng | 화쫭]
양복	西服	[xīfú | 씨푸]

피아노	钢琴	[gāngqín | 깡친]
눈물을 흘리다	流泪	[liú lèi | 리우 레이]
공항	机场	[jīchǎng | 찌창]
비행기	飞机	[fēijī | 페이찌]
미국	美国	[Měiguó | 메이궈]

우리 누나(姐姐)의 결혼식(婚礼) 날이다.

누나는 아침 일찍 미용실(美容院)에 가서 예쁘게 화장(化妆)을 했다.

나는 생전 처음 양복(西服)을 입었다. 피아노(钢琴) 소리에 맞춰 입장하는 누나를 보고 엄마는 계속 눈물을 흘리셨다(流泪)

결혼식이 끝나고 누나와 매형은 공항(机场)에 가서 비행기(飞机)를 타고 미국(美国)으로 신혼 여행을 갔다. 음.. 내 마음이 왜 이리 허전한걸까..

※ 단어의 병음과 의미를 알맞게 이어 보세요.

(1) 西服　　　　jiějie　　　　　눈물을 흘리다

(2) 机场　　　　hūnlǐ　　　　　결혼식

(3) 婚礼　　　　jīchǎng　　　　공항

(4) 姐姐　　　　xīfú　　　　　　양복

(5) 流泪　　　　liú lèi　　　　　누나

※ 한어병음에는 알맞는 중국어를, 중국어에는 알맞은 한어병음을 써 넣으세요.

(1) 钢琴　　　　（　　　　　　　）

(2) Měiguó　　 （　　　　　　　）

(3) měiróngyuàn （　　　　　　　）

(4) 飞机　　　　（　　　　　　　）

돕다	帮	[bāng | 빵]
집안일을 하다	做家务	[zuò jiāwù | 쭈어 찌아우]
창문	窗户	[chuānghu | 촹후]
열다	打开	[dǎkāi | 다카이]
더럽다	脏	[zāng | 짱]
쓸다	扫	[sǎo | 사오]

책상	桌子	[zhuōzi	쭈어즈]
닦다	擦	[cā	차]
청소하다	打扫	[dǎsǎo	다사오]
씻다	洗	[xǐ	시]
깨끗하다	干净	[gānjìng	깐찡]

모처럼 집에서 쉬는 날이라 엄마를 도와(帮) 집안 일을 하기로(做家务) 했다. 자~! 우선 창문(窗户)을 열고(打开), 먼지를 털어 볼까? 세상에! 너무 더럽네(脏)-.-; 바닥을 쓸고(扫), 책상(桌子)의 먼지도 열~심히 닦았다(擦). 청소(打扫)를 마치고 나서 우리 강아지 뽀삐도 이쁘게 씻겨(洗) 줬다. 유후~ 깨끗한(干净) 집을 보니 기분이 저절로 좋아지네!

■ 단어의 병음과 의미를 알맞게 이어 보세요.

(1) 干净　　　　zuò jiāwù　　　　깨끗하다

(2) 桌子　　　　gānjìng　　　　책상

(3) 做家务　　　zāng　　　　집안일을 하다

(4) 脏　　　　chuānghu　　　　더럽다

(5) 窗户　　　　zhuōzi　　　　창문

■ 한어병음에는 알맞는 중국어를, 중국어에는 알맞은 한어병음을 써 넣으세요.

(1) 扫　　　　(　　　　　　　)

(2) cā　　　　(　　　　　　　)

(3) dǎkāi　　　(　　　　　　　)

(4) 帮　　　　(　　　　　　　)

| 베이징 | 北京 | [Běijīng | 베이찡] |

| 유학을 가다 | 留学 | [liúxué | 리우쉬에] |

| 유명하다 | 有名 | [yǒumíng | 여우밍] |

| 베이징 오리구이요리 | 北京烤鸭 | [Běijīng kǎoyā | 베이찡 카오야] |

| 고궁 | 故宮 | [gùgōng | 꾸꿍] |

천안문	天安门	[Tiān'ānmén | 톈안먼]
나라	国家	[guójiā | 궈찌아]
사귀다	交	[jiāo | 찌아오]
노력하다	努力	[nǔlì | 누리]
전문가	专家	[zhuānjiā | 쫜찌아]

나는 중국과 중국어를 너무 좋아해서 베이징(北京)으로 유학을 가려고(留学) 한다.

중국에 가면 그 유명한(有名) 베이징 오리구이 요리(北京烤鸭)도 먹어 보고, 고궁(故宫)과 천안문(天安门)에도 가 보고 싶다. 다른 나라(国家) 친구들도 많이 사귀어야지(交).

나는 열심히(努力) 공부해서 반드시 중국 전문가(专家)가 되고 싶다.

▨ 단어의 병음과 의미를 알맞게 이어 보세요.

(1) 努力　　　nǔlì　　　　베이징

(2) 天安门　　Běijīng　　노력하다

(3) 留学　　　Tiān'ānmén　유학을 가다

(4) 专家　　　liúxué　　　천안문

(5) 北京　　　zhuānjiā　　전문가

▨ 한어병음에는 알맞는 중국어를, 중국어에는 알맞은
한어병음을 써 넣으세요.

(1) 交　　　　　(　　　　　　)

(2) 国家　　　　(　　　　　　)

(3) gùgōng　　(　　　　　　)

(4) Běijīng kǎoyā　(　　　　　　)

고등학교	高中	[gāozhōng | 까오쯍]
대학	大学	[dàxué | 따쉬에]
입학하다	入学	[rùxué | 루쉬에]
남자친구	男朋友	[nánpéngyou | 난펑여우]
전공	专业	[zhuānyè | 쫜예]
경제	经济	[jīngjì | 찡찌]

| 분야, 방면 | 方面 | [fāngmiàn \| 팡미엔] |

관심있다　关心　[guānxīn \|꽌씬]

경제학　经济学　[jīngjìxué \| 찡찌쉬에]

그림 그리다　画画(儿)
[huà huà(r) \| 화 화]

미술　美术　[měishù \| 메이슈]

나는 고등학교(高中)를 마치고 대학(大学)에 입학하면(入学) 하고 싶은 일이 정말 많다.

멋진 남자친구(男朋友)도 사귀고, 예쁜 옷도 사 입고, 여행도 가고 싶다. 그리고 전공(专业)은… 나는 경제(经济) 분야(方面)에 관심(关心)이 많으니까 경제학(经济学)도 공부해 보고 싶고, 그림 그리는(画画儿) 것을 좋아하니까 미술(美术)도 공부하고 싶다. 하고 싶은게 너~무 많은데 어쩌지? 헤헤~

▓ 단어의 병음과 의미를 알맞게 이어 보세요.

(1) 入学　　　jīngjìxué　　　입학하다

(2) 经济学　　rùxué　　　　관심있다

(3) 专业　　　guānxīn　　　분야,방면

(4) 方面　　　fāngmiàn　　　경제학

(5) 关心　　　zhuānyè　　　전공

▓ 한어병음에는 알맞는 중국어를, 중국어에는 알맞은 한어병음을 써 넣으세요.

(1) 美术　　　(　　　　　　)

(2) nánpéngyou　　(　　　　　　)

(3) huà huà(r)　　(　　　　　　)

(4) 经济　　　(　　　　　　)

무역회사	贸易公司	[màoyì gōngsī | 마오이 꽁쓰]
일하다	工作	[gōngzuò | 꽁쭈어]
아침식사	早饭	[zǎofàn | 자오판]
출근하다	上班	[shàng bān | 샹 빤]
지하철	地铁	[dìtiě | 띠티에]
붐비다	挤	[jǐ | 지]

엘리베이터	电梯	[diàntī | 띠엔티]
총무부	总务部	[zǒngwùbù | 종우뿌]
자리	座位	[zuòwèi | 쭈어웨이]
벌써	已经	[yǐjing | 이징]
퇴근하다	下班	[xià bān | 샤 빤]

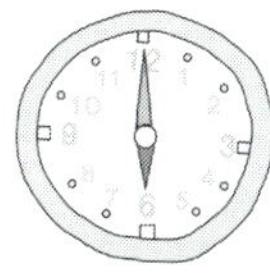

나는 무역회사(贸易公司)에서 일하고(工作) 있다. 아침 6시 반에 일어나 씻고, 아침식사(早饭)를 한 뒤 집을 나선다. 출근(上班)길 지하철(地铁)은 늘 사람들로 붐빈다(挤).

회사에 도착해 엘리베이터(电梯)를 타니 어! 총무부(总务部) 짠돌이 김 부장님이 타고 계시네? 가볍게 인사를 나누고 내 자리(座位)로 가 하루의 업무를 시작한다. 그런데 벌써(已经) 퇴근(下班) 시간이 기다려지니 어쩌지?

※ 단어의 병음과 의미를 알맞게 이어 보세요.

(1) 总务部 mànyì gōngsī 총무부

(2) 贸易公司 dìtiě 벌써

(3) 已经 zǎofàn 무역회사

(4) 地铁 yǐjing 아침식사

(5) 早饭 zǒngwùbù 지하철

※ 한어병음에는 알맞는 중국어를, 중국어에는 알맞은 한어병음을 써 넣으세요.

(1) 下班 (   )

(2) zuòwèi (   )

(3) 挤 (   )

(4) gōngzuò (   )

어제	昨天	[zuótiān | 주어티엔]
여동생	妹妹	[mèimei | 메이메이]
교통사고	交通事故	[jiāotōng shìgù | 찌아오통 스구]
오토바이	摩托车	[mótuōchē | 모투어처]
횡단보도	人行横道	[rénxínghéngdào | 런씽헝따오]
(길을) 건너다	过	[guò | 꾸어]

우선	首先	[shǒuxiān | 쇼우씨엔]
경찰	警察	[jǐngchá | 징차]
구급차	急救车	[jíjiùchē | 지찌우처]
모르다	不知道	[bù zhīdao | 뿌 쯔다오]
조심하다	小心	[xiǎoxīn | 샤오씬]

어제 (昨天) 나는 여동생 (妹妹)과 함께 학교에 가다가 교통사고 (交通事故)를 목격하였다. 오토바이 (摩托车) 한 대가 횡단보도 (人行横道)를 건너고 (过) 계신 어떤 할머니를 친 것이다. 나는 우선 (首先) 경찰 (警察)에 신고하고 구급차 (急救车)를 불렀다. 할머니는 많이 다치신 것 같았는데 지금은 어떠실지 모르겠다 (不知道). 길을 다닐 때는 항상 조심 (小心)해야 겠다.

※ 단어의 병음과 의미를 알맞게 이어 보세요.

(1) 交通事故　　　guò　　　　　　　　교통사고

(2) 小心　　　　　shǒuxiān　　　　　(길을) 건너다

(3) 首先　　　　　xiǎoxīn　　　　　　횡단보도

(4) 人行横道　　　rénxínghéngdào　조심하다

(5) 过　　　　　　jiāotōng shìgù　　우선

※ 한어병음에는 알맞는 중국어를, 중국어에는 알맞은 한어병음을 써 넣으세요.

(1) 警察　　　　　(　　　　　　　　　)

(2) jíjiùchē　　　(　　　　　　　　　)

(3) mèimei　　　　(　　　　　　　　　)

(4) 昨天　　　　　(　　　　　　　　　)

소개하다	介绍	[jièshào | 찌에샤오]
귀엽다	可爱	[kě'ài | 커아이]
똑똑하다	聪明	[cōngming | 총밍]
취미	爱好	[àihào | 아이하오]
주말	周末	[zhōumò | 쪼우모]

볼링을 치다	打保龄球
	[dǎ bǎolíngqiú | 다 바오링치우]

화해하다	和好 [héhǎo | 허하오]

막	刚 [gāng | 깡]

오늘밤	今晚 [jīnwǎn | 찐완]

꿈을 꾸다	做梦 [zuò mèng | 쭈어 멍]

친한 친구의 소개(介绍)로 지금의 여자친구를 만나게 되었다. 내 여자친구는 아주 귀엽고(可爱), 똑똑하다(聪明). 우리는 취미(爱好)도 같아 주말(周末)이면 같이 볼링을 치러(打保龄球) 간다. 우리는 가끔 다투기도 하지만 금방 화해(和好)하고는 한다. 아~ 막(刚) 헤어졌는데 또 보고 싶네. 오늘밤(今晚)은 여자친구 꿈을 꾸면서(做梦) 자야 겠다. 헤헤~

※ 단어의 병음과 의미를 알맞게 이어 보세요.

(1) 打保龄球　　jièshào　　　　　　꿈을 꾸다

(2) 介绍　　　　zuò mèng　　　　　소개하다

(3) 做梦　　　　dǎ bǎolíngqiú　　　취미

(4) 爱好　　　　àihào　　　　　　　똑똑하다

(5) 聪明　　　　cōngming　　　　　볼링을 치다

※ 한어병음에는 알맞는 중국어를, 중국어에는 알맞은 한어병음을 써 넣으세요.

(1) 刚　　　　　（　　　　　　　　）

(2) kě'ài　　　 （　　　　　　　　）

(3) jīnwǎn　　 （　　　　　　　　）

(4) 和好　　　　（　　　　　　　　）

체중	体重	[tǐzhòng | 티쫑]
살이 찌다	发胖	[fā pàng | 파 팡]
~부터	从	[cóng | 총]
다이어트하다	减肥	[jiǎnféi | 지엔페이]
시작하다	开始	[kāishǐ | 카이스]
운동장	操场	[cāochǎng | 차오창]

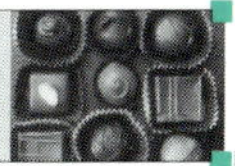

달리다	跑步	[pǎobù | 파오뿌]
초콜릿	巧克力	[qiǎokèlì | 챠오커리]
아이스크림	冰淇淋	[bīngqílín | 삥치린]
날씬하다	苗条	[miáotiao | 먀오탸오]
미니스커트	迷你裙	[mínǐqún | 미니췬]

아침에 일어나 체중(体重)을 재어 보니 또 3kg이 쪘다(发胖). 이를 어쩌T.T 그래서 오늘부터(从) 다이어트(减肥)를 시작(开始)하기로 했다. 아침마다 운동장(操场)을 뛰어(跑步) 볼까? 좋아하는 초콜릿(巧克力)과 아이스크림(冰淇淋)을 끊을 생각하니 너무너무 슬프다.. 흑흑! 열심히 살을 빼서 날씬해(苗条)지면 미니스커트(迷你裙)를 사 입어야지... 불끈불끈!!

단어의 병음과 의미를 알맞게 이어 보세요.

(1) 发胖　　　mínǐqún　　　미니스커트

(2) 苗条　　　fā pàng　　　다이어트하다

(3) 操场　　　cāochǎng　　　날씬하다

(4) 迷你裙　　　jiǎnféi　　　운동장

(5) 减肥　　　miáotiao　　　살이 찌다

한어병음에는 알맞는 중국어를, 중국어에는 알맞은 한어병음을 써 넣으세요.

(1) bīngqílín　　　(　　　　　　)

(2) pǎobù　　　(　　　　　　)

(3) 体重　　　(　　　　　　)

(4) 巧克力　　　(　　　　　　)

근처	附近	[fùjìn	푸찐]
시장	市场	[shìchǎng	스창]
각종의	各种	[gèzhǒng	꺼종]
호기심	好奇心	[hàoqíxīn	하오치씬]
옥수수	玉米	[yùmǐ	위미]

생선	鱼	[yú | 위]
아주머니,이모	阿姨	[āyí | 아이]
과일	水果	[shuǐguǒ | 슈이궈]
아저씨, 삼촌	叔叔	[shūshu | 슈슈]
인사하다	打招呼	[dǎ zhāohu | 다 짜오후]

나는 엄마와 함께 집 근처(附近) 시장(市场)에 가는 걸 좋아한다. 시장에 가면 맛있는 것도 많고, 각종(各种) 볼거리도 많아 나의 호기심(好奇心)을 자극한다.

옥수수(玉米)를 파시는 할머니, 생선(鱼)가게 아주머니(阿姨), 과일(水果)가게 아저씨(叔叔)는 나를 볼 때마다 반갑게 인사해(打招呼)주신다.

단어의 병음과 의미를 알맞게 이어 보세요.

(1)	叔叔	shūshu	인사하다
(2)	打招呼	gèzhǒng	아저씨, 삼촌
(3)	玉米	dǎ zhāohu	각종의
(4)	各种	āyí	옥수수
(5)	阿姨	yùmǐ	아주머니, 이모

한어병음에는 알맞는 중국어를, 중국어에는 알맞은 한어병음을 써 넣으세요.

(1)	好奇心	( )
(2)	shuǐguǒ	( )
(3)	鱼	( )
(4)	shìchǎng	( )

성격	性格(儿) [xìnggé(r) | 씽거]
활발하다	活泼 [huópo | 훠포]
자전거를 타다	骑自行车 [qí zìxíngchē | 치 쯔싱처]
등교하다	上学 [shàng xué | 샹 쉬에]
하교하다	放学 [fàng xué | 팡 쉬에]

숙제를 하다	做作业 [zuò zuòyè | 쭈어 쭈어예]
컴퓨터 게임을 하다	玩(儿)电脑游戏 [wán(r) diànnǎoyóuxì | 완 띠엔나오 여우씨]
축구를 하다	踢足球　[tī zúqiú | 티 주지우]
우정	友情　[yǒuqíng | 여우칭]
영원하다	永远　[yǒngyuǎn | 용위엔]

나는 성격(性格)이 활발(活泼)해서 친구 사귀는 것을 정말 좋아한다. 나와 친구들은 늘 붙어다니며 아침에는 자전거를 타고(骑自行车) 등교(上学)도 같이 하고 또 수업이 끝나면 함께 하교해(放学) 숙제를 한다(做作业). 숙제를 마친 후에는 컴퓨터 게임을 하거나(玩电脑游戏) 축구를 하고(踢足球) 논다.

나는 우리의 우정(友情)이 앞으로도 영원했으면(永远) 좋겠다.

* 단어의 병음과 의미를 알맞게 이어 보세요.

(1) 活泼	huópo	영원하다
(2) 永远	yǒngyuǎn	활발하다
(3) 上学	zuò zuòyè	등교하다
(4) 做作业	yǒuqíng	우정
(5) 友情	shàng xué	숙제를 하다

* 한어병음에는 알맞는 중국어를, 중국어에는 알맞은 한어병음을 써 넣으세요.

(1) tī zúqiú （　　　　　　）

(2) 放学 （　　　　　　）

(3) 性格(儿) （　　　　　　）

(4) qí zìxíngchē （　　　　　　）

대전	大田	[Dàtián | 따티엔]
기차역	火车站	[huǒchēzhàn | 훠처짠]
마중하다	接	[jiē | 찌에]
연착하다	晚点	[wǎndiǎn | 완디엔]
고생하다	辛苦	[xīnkǔ | 씬쿠]
포옹하다	拥抱	[yōngbào | 용빠오]

재작년	前年	[qiánnián | 치엔니엔]
예전	以前	[yǐqián | 이치엔]
똑같다	一样	[yíyàng | 이양]
짐	行李	[xíngli | 싱리]
시내	市内	[shìnèi | 스네이]
전시회	展览会	[zhǎnlǎnhuì | 잔란후이]

대전(大田)에 사는 친구가 놀러온다고 해서 기차역(火车站)으로 마중(接)을 나갔다. 기차가 연착(晚点)되어서 나는 한참을 기다려야 했다. 드디어 친구의 모습이 보이고 나는 "오느라 수고했어(辛苦)!!"라고 인사를 건네고 포옹했다(拥抱).

재작년(前年)에 보고 오랜만에 만나는 녀석의 얼굴은 예전(以前)과 똑같았다(一样). 우리는 우선 집에 가서 짐(行李)을 놓고, 시내(市内)에 나가 전시회(展览会)를 관람했다.

■ 단어의 병음과 의미를 알맞게 이어 보세요.

(1) 火车站　　　zhǎnlǎnhuì　　　전시회

(2) 展览会　　　huǒchēzhàn　　　연착하다

(3) 前年　　　　wǎndiǎn　　　　재작년

(4) 晚点　　　　xīnkǔ　　　　　고생하다

(5) 辛苦　　　　qiánnián　　　　기차역

■ 한어병음에는 알맞는 중국어를, 중국어에는 알맞은 한어병음을 써 넣으세요.

(1) xíngli　　　(　　　　　　　)

(2) 拥抱　　　　(　　　　　　　)

(3) yǐqián　　　(　　　　　　　)

(4) 接　　　　　(　　　　　　　)

번거롭게 하다	添麻烦 [tiān máfan | 티엔 마판]
배웅하다	送 [sòng | 쏭]
~할 필요없다	不用 [bú yòng | 부 용]
여유가 있다	有空(儿) [yǒu kòng(r) | 요 콩]
우유	牛奶 [niúnǎi | 니우나이]
빵	面包 [miànbāo | 미엔빠오]

귤	橘子	[júzi | 쥐즈]
자주	经常	[jīngcháng | 찡창]
연락하다	联系	[liánxì | 리엔씨]
악수하다	握手	[wò shǒu | 워 쇼우]
섭섭하다, 아쉽다	舍不得	[shěbude | 셔부더]

친구가 집으로 돌아가는 날이 되었다. 친구는 번거롭게 하기(添麻烦) 싫다면서 배웅(送)해 주지 않아도 된다고(不用) 했지만 나는 요즘 여유가 좀 있기(有空儿) 때문에 기차역까지 함께 갈 수 있었다. 나는 우유(牛奶)와 빵(面包), 그리고 귤(橘子) 몇 개를 사서 그 녀석에게 건네주었다. 우리는 자주(经常) 연락(联系)하기로 약속을 하고 악수를 나누었다(握手). 이제 또 한동안 못 볼 텐데 섭섭해서(舍不得) 혼났다.

▨ 단어의 병음과 의미를 알맞게 이어 보세요.

(1) 有空(儿)　　　tiān máfan　　　악수하다

(2) 握手　　　　　yǒu kòng(r)　　　귤

(3) 橘子　　　　　sòng　　　　　　배웅하다

(4) 送　　　　　　júzi　　　　　　번거롭게 하다

(5) 添麻烦　　　　wò shǒu　　　　여유가 있다

▨ 한어병음에는 알맞는 중국어를, 중국어에는 알맞은
한어병음을 써 넣으세요.

(1) 舍不得　　　　(　　　　　　　)

(2) liánxì　　　　(　　　　　　　)

(3) niúnǎi　　　　(　　　　　　　)

(4) 面包　　　　　(　　　　　　　)

대만	台湾	[Táiwān | 타이완]
출장가다	出差	[chūchāi | 추차이]
긴장하다	紧张	[jǐnzhāng | 진짱]
무덥다	闷热	[mēnrè | 먼러]
손수건	手帕	[shǒupà | 쇼우파]
땀	汗水	[hànshuǐ | 한슈이]

일정	日程	[rìchéng | 르청]
서류	文件	[wénjiàn | 원찌엔]
샘플	样品	[yàngpǐn | 양핀]
설명하다	说明	[shuōmíng | 슈어밍]
계약하다	订合同	[dìng hétong | 띵 허통]

대만(台湾)으로 출장(出差)을 오게 됐다.

첫 해외출장이라 긴장(緊張)되면서도 설렌다. 날

씨가 생각보다 무더워서(闷热) 손수건(手帕)

으로 연실 땀(汗水)을 닦았다. 일정(日程)이

촉박해서 도착하자 마자 필요한 서류(文件)를 챙

겨 거래처 사람들을 만나러 나갔다. 샘플(样品)을

보여 주고 설명을 하니(说明) 우리 제품에 관심을

갖는 듯 하다. 음.. 반드시 계약을 맺고(订合同)

돌아가야 할 텐데.. !!

▓ 단어의 병음과 의미를 알맞게 이어 보세요.

(1) 订合同   hànshuǐ   계약하다

(2) 台湾   dìng hétong   땀

(3) 汗水   Táiwān   설명하다

(4) 说明   shǒupà   손수건

(5) 手帕   shuōmíng   대만

▓ 한어병음에는 알맞는 중국어를, 중국어에는 알맞은 한어병음을 써 넣으세요.

(1) 紧张   (   )

(2) 出差   (   )

(3) rìchéng   (   )

(4) mēnrè   (   )

허약하다	虚弱	[xūruò | 쉬뤄]
운동	运动	[yùndòng | 윈똥]
매주	每(个)星期	[měi (ge) xīngqī | 메이 (거) 씽치]
산에 오르다	爬山	[pá shān | 파 샨]
신선하다	新鲜	[xīnxiān | 씬씨엔]

공기	空气	[kōngqì | 콩치]
겨울	冬天	[dōngtiān | 똥티엔]
스키를 타다	滑雪	[huá xuě | 화 쉬에]
스케이트를 타다	滑冰	[huá bīng | 화 삥]
감기(에 걸리다)	感冒	[gǎnmào | 간마오]

나는 몇 년 전에 크게 병을 앓고 난 뒤 몸이 허약해(虛弱)져서 운동(运动)을 열심히 하게 되었다. 매주(每个星期) 일요일에는 부모님과 함께 산에 올라(爬山) 신선한(新鲜) 공기(空气)를 마신다. 여름에는 수영을 하고, 겨울(冬天)에는 스키(滑雪)와 스케이트(滑冰)를 타러 간다. 지금은 아주 건강해져서 감기(感冒) 한번 안 걸린다.

※ 단어의 병음과 의미를 알맞게 이어 보세요.

(1) 新鲜   xīnxiān   감기(에 걸리다)

(2) 滑冰   huá bīng   공기

(3) 空气   gǎnmào   스케이트를 타다

(4) 感冒   kōngqì   산에 오르다

(5) 爬山   pá shān   신선하다

※ 한어병음에는 알맞는 중국어를, 중국어에는 알맞은 한어병음을 써 넣으세요.

(1) huá xuě   (   )

(2) 冬天   (   )

(3) 运动   (   )

(4) xūruò   (   )

| 상하이 | 上海 | [Shànghǎi ǀ 샹하이] |

| 호텔 | 饭店 | [fàndiàn ǀ 판띠엔] |

| 프런트 | 总服务台 | [zǒngfúwùtái ǀ 종푸우타이] |

| 빈 방 | 空房间 | [kòng fángjiān ǀ 콩 팡찌엔] |

| 예약(하다) | 预订 | [yùdìng ǀ 위띵] |

| 걱정하다 | 怕 | [pà ǀ 파] |

다행히	幸亏	[xìngkuī | 씽쿠이]
체크인	登记	[dēngjì | 떵찌]
욕실	浴室	[yùshì | 위스]
냉장고	冰箱	[bīngxiāng | 삥샹]
팁	小费	[xiǎofèi | 샤오페이]

친구들이랑 상하이(上海)로 여행을 갔다. 호텔(饭店) 프런트(总服务台)에 가서 빈 방(空房间)이 있는지를 물었다. 예약(预订)을 하지 않고 와서 걱정(怕)했는데 휴~ 다행히(幸亏) 있다고 한다. 체크인(登记)을 하고 나니, 종업원이 우리의 짐을 옮겨 주고는 욕실(浴室)과 냉장고(冰箱) 사용에 대해 설명해 주었다. 나는 고마운 마음에 팁(小费)을 좀 주었다.

※ 단어의 병음과 의미를 알맞게 이어 보세요.

(1) 小费   xìngkuī   팁

(2) 预订   xiǎofèi   예약(하다)

(3) 登记   fàndiàn   다행히

(4) 幸亏   dēngjì   체크인

(5) 饭店   yìdìng   호텔

※ 한어병음에는 알맞는 중국어를, 중국어에는 알맞은 한어병음을 써 넣으세요.

(1) zǒngfúwùtái   (   )

(2) 浴室   (   )

(3) bīngxiāng   (   )

(4) 空房间   (   )

memo

memo

왕초보를 위한

중국어 연상 Voca — 특별부록 —

저자 이승해
펴낸이 정규도

다락원 경기도 파주시 교하읍 문발리 509-1
내용문의: (02)736-2031 내선 401~407
구입문의: (02)736-2031 내선 112~114
Fax: (02)732-2037
출판등록 1977년 9월 16일 제300-1977-23호

ISBN 978-89-5995-521-3 18720